I Lara, Tom, Olly a Maddie, gyda chariad a gobaith i'r ddynoliaeth – CB

I Osh, Beth, Jack, Huw a Vi gyda chariad – SW

I Hugo, gyda chariad – AH

**Hoffai'r cyhoeddwyr a'r awduron ddiolch i Monica Grady,
Athro Gwyddoniaeth y Planedau a'r Gofod yn y Brifysgol Agored,
am ei chyngor amhrisiadwy a'i chefnogaeth fel ymgynghorydd gwyddoniaeth y llyfr hwn.**

Cyhoeddwyd gan Rily Publications Ltd, Blwch Post 257, Caerffili CF83 9FL
Hawlfraint yr addasiad © 2019 Rily Publications Ltd
Addasiad Cymraeg gan Siân Lewis

ISBN 978-1-84967-462-1

Cyhoeddwyd yn wreiddiol yn Saesneg yn 2019 dan y teitl
The Story of People gan Frances Lincoln Children's Books,
74–77 White Lion Street, Llundain N1 9PF

Hawlfraint y testun © Catherine Barr a Steve Williams 2019

Hawlfraint y darluniau © Amy Husband 2019

Darluniwyd â chyfryngau cymysg a *collage*.

Mae'r cyhoeddwr yn cydnabod cefnogaeth ariannol Cyngor Llyfrau Cymru.

Argraffwyd yn China

Daw'r papur o ffynonellau cyfrifol.

Stori
POBL
Llyfr cyntaf am ddynoliaeth

Catherine Barr a Steve Williams
Darluniwyd gan Amy Husband
Addasiad Siân Lewis

RILY

rily.co.uk

mamoth gwlanog

Miliynau o flynyddoedd yn ôl, pan oedd deinosoriaid
yn teyrnasu, trawodd craig enfawr yn erbyn ein planed.
Cododd cymylau o lwch a chuddio'r haul. Doedd dim yn tyfu.

Bu farw'r deinosoriaid a bron pob peth byw ar y Ddaear ... ond rywsut
llwyddodd creaduriaid bach blewog i oroesi. Gwnaeth y mamaliaid bach
hyn eu cartrefi yn y mannau lle roedd deinosoriaid yn arfer byw.

Yn Affrica, roedd epaod a mwncïod yn byw yn y coed. Dechreuodd rhai
epaod gerdded ar ddwy goes dros y tir, a mentro i'r mannau agored.

mamaliaid bach

epaod mawr

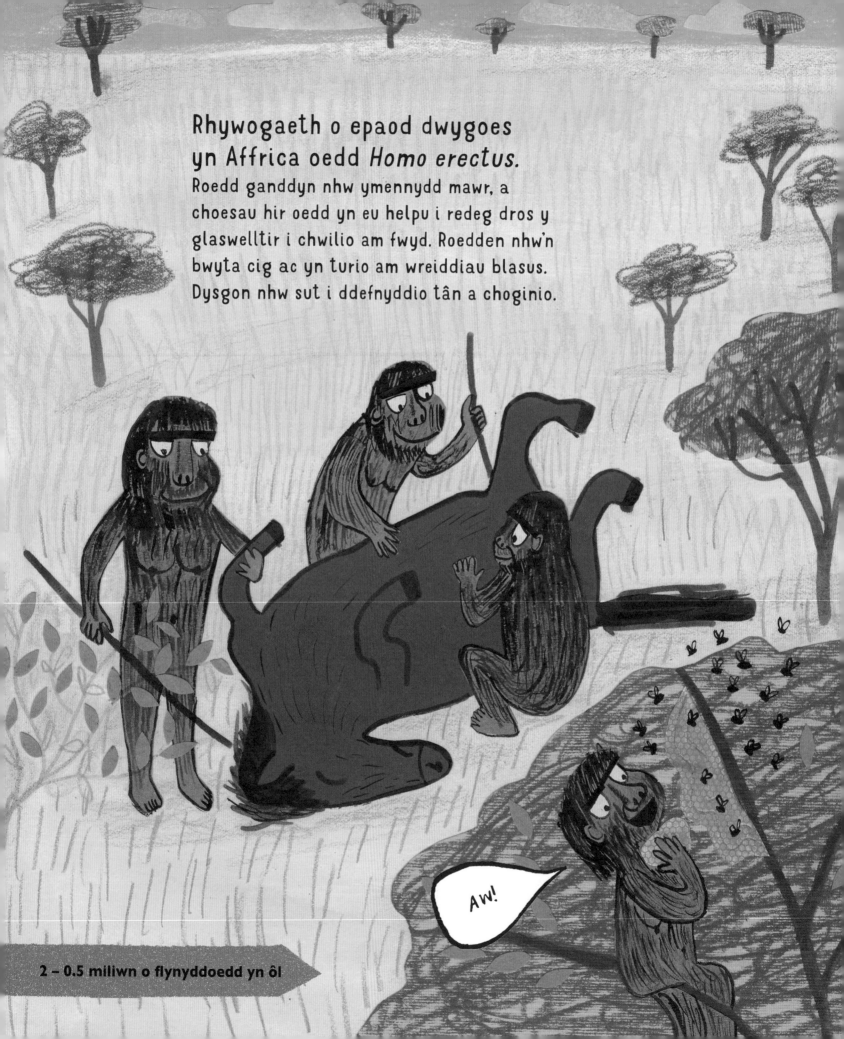

Rhywogaeth o epaod dwygoes yn Affrica oedd *Homo erectus*. Roedd ganddyn nhw ymennydd mawr, a choesau hir oedd yn eu helpu i redeg dros y glaswelltir i chwilio am fwyd. Roedden nhw'n bwyta cig ac yn turio am wreiddiau blasus. Dysgon nhw sut i ddefnyddio tân a choginio.

Roedd y bobl gyntaf hyn yn casglu planhigion
ac yn hela anifeiliaid. Roedden nhw'n
'helwyr-gasglwyr' oedd yn symud o le i le
i chwilio am fwyd. Ymhen amser cerddon
nhw o Affrica i Asia. Yna cyrhaeddodd eu
disgynyddion diroedd rhewllyd Ewrop.

peintiadau cyntaf

Neanderthaliaid

500,000 – 15,000 o flynyddoedd yn ôl

Yn y cyfamser, roedd rhywogaeth newydd o bobl wedi ymddangos yn Affrica: *Homo sapiens*. Roedd gan y bobl fodern hyn bennau mwy crwn, ac ymennydd mwy o faint. Dechreuon nhw grwydro o Affrica hefyd.

Wrth fynd ar draws Asia ac Ewrop, cwrddon nhw â grwpiau eraill o bobl, fel y Denisofiaid a'r Neanderthaliaid. Ond dros amser bu farw pob un o'r grwpiau hynny. **Homo sapiens** oedd yr unig bobl ar ôl, ac rydyn ni i gyd yn dod o'r grŵp hwnnw.

Homo sapiens

Cynhesodd y byd, toddodd y rhew, a dechreuodd teuluoedd dyfu eu bwyd eu hunain.

Ym Mecsico, tyfodd pobl india-corn. Yn Nyffryn Yangtze, China, plannon nhw reis mewn caeau ffrwythlon. Adeiladon nhw bentrefi, a chadw anifeiliaid am eu cig, llaeth a'u crwyn.

Roedd yr helwyr-gasglwyr wedi dod yn ffermwyr.

india-corn

Mw!

15,000 – 6,000 o flynyddoedd yn ôl

Roedd ffermwyr yn gallu tyfu mwy o fwyd nag oedd arnyn nhw ei angen. Dechreuon nhw storio'r bwyd a'i gyfnewid am bethau eraill. Drwy wneud hyn, daeth rhai'n gyfoethog.

Cafodd mwy o blant eu geni a byw i fod yn oedolion. Felly dechreuodd y nifer o bobl ar y Ddaear gynyddu.

pentrefi cyntaf

anifeiliaid dof cyntaf

Wrth i ddinasoedd dyfu, roedd pawb yn byw ar ben ei gilydd.
Dalion nhw afiechydon oddi wrth anifeiliaid, a dioddef o'r frech goch,
y frech wen a thwbercwlosis. Roedd dynion ar geffylau'n gorfod
gwarchod nwyddau pwysig am fod pobl yn ymladd amdanyn nhw.

Yn y Dwyrain Canol a'r Aifft, roedd pobl yn cofnodi cynaeafau drwy
wneud marciau a lluniau syml. Dros amser, trodd y marciau yn eiriau
a ffurfio gwyddorau. Dros y byd dechreuodd pobl ysgrifennu.

Cafodd metel newydd o'r enw haearn ei ddarganfod, gan wneud bywyd yn haws i ffermwyr. Hon oedd yr Oes Haearn. Offer ffermio ac arfau haearn helpodd bobl y Bantw o Orllewin Affrica i ymestyn ar draws deheudir Affrica. Ym Mecsico, roedd Gwareiddiad yr Olmec yn defnyddio offer carreg, ond yn sgleinio haearn i wneud tlysau a drychau.

Yn y pentrefi a'r ffermydd, yn ogystal â'r dinasoedd prysur, roedd pobl yn creu cerddoriaeth drwy chwarae ffliwt, ratl a thelyn. Roedden nhw'n canu caneuon ac yn dweud eu hanes.

Mae hyn yn haws!

1200 – 500 CC

hewl Rufeinig

teml y Maia

Teithiai masnachwyr dros fôr a thir.
Yn Affrica, chwifiai hwyliau yn y porthladdoedd
prysur. Tynnai ceffylau eu ceirt ar hyd y Ffordd
Sidan, y llwybr masnach oedd yn arwain o Asia
i'r Dwyrain Canol ac Ewrop.

Yng Ngwlad Groeg roedd pobl yn trafod ac yn dadlau am eu byd, ac, am y tro cyntaf, yn gwneud penderfyniadau teg ynglŷn â'u ffordd o fyw.

Yn yr Aifft a China, roedd pobl yn astudio mathemateg. Yn ddiweddarach, gyda help y symiau hyn, adeiladodd peirianwyr Rhufeinig hewlydd syth a chynllunio carthffosydd. Roedd rheolwyr Rhufain yn mwynhau barddoniaeth a dramâu tra oedd eu caethweision yn gweithio.

Ymhell i ffwrdd yn America, adeiladodd pobl y Maia ddinasoedd â themlau mawr, a datblygu ffordd o ysgrifennu drwy luniau.

Ffordd Sidan

1, 2, 3, 4....

Yn y Dwyrain Canol, roedd Moslemiaid yn dilyn eu crefydd – Islam. Ar draws Môr y Canoldir, yn Ewrop, daeth yr Ymerodraeth Rufeinig i ben. Heb reol na threfn, aeth popeth ar chwâl, a throdd pobl at grefydd wahanol, Cristnogaeth, am help a gobaith.

Er bod bywyd yn anodd i'r rhan fwyaf o bobl, daeth rhai arweinwyr crefyddol a thirfeddianwyr yn gyfoethog, a thyfodd masnach. Cariai camelod lwythi o lwch aur, cotwm a halen, ar draws Anialdir Sahara. Dyfeisiwyd papur yn China, a lledaenodd newyddion ar hyd y Ffordd Sidan i weddill y byd. Gyda help cwmpawd Chineaidd, gallai llong hwylio i chwilio am sbeisys, arian ac aur.

1 OC – 1000 OC

Ymhellach i'r dwyrain yn Asia, cipiodd llwythau ffyrnig lawer o diroedd a chreu Ymerodraeth Mongolia. Dinistrion nhw lyfrgelloedd a labordai oedd yn llawn syniadau newydd am wyddoniaeth a meddygaeth.

Dros y môr, lledaenodd haint erchyll y Pla Du o Asia i'r gorllewin, gan ladd miliynau o bobl oedd eisoes yn dioddef o effaith rhyfel a newyn.

Ond hyd yn oed yn y cyfnod tywyll hwn, roedd llygedyn o obaith. Dechreuodd gwyddonwyr, penseiri a pheirianwyr greu adeiladau, celf a cherddoriaeth a fyddai'n goleuo'r dyfodol.

Aeth morwyr o Ewrop i chwilio am lwybr masnach newydd i'r Dwyrain. Yn lle hynny, fe wnaethon nhw ddarganfod gwledydd America.

Concron nhw'r gwledydd hynny, gan ladd y bobl leol, dinistrio dinasoedd hynafol a lledaenu salwch.

America

Cefnfor Iwerydd

1500 – 1700 OC

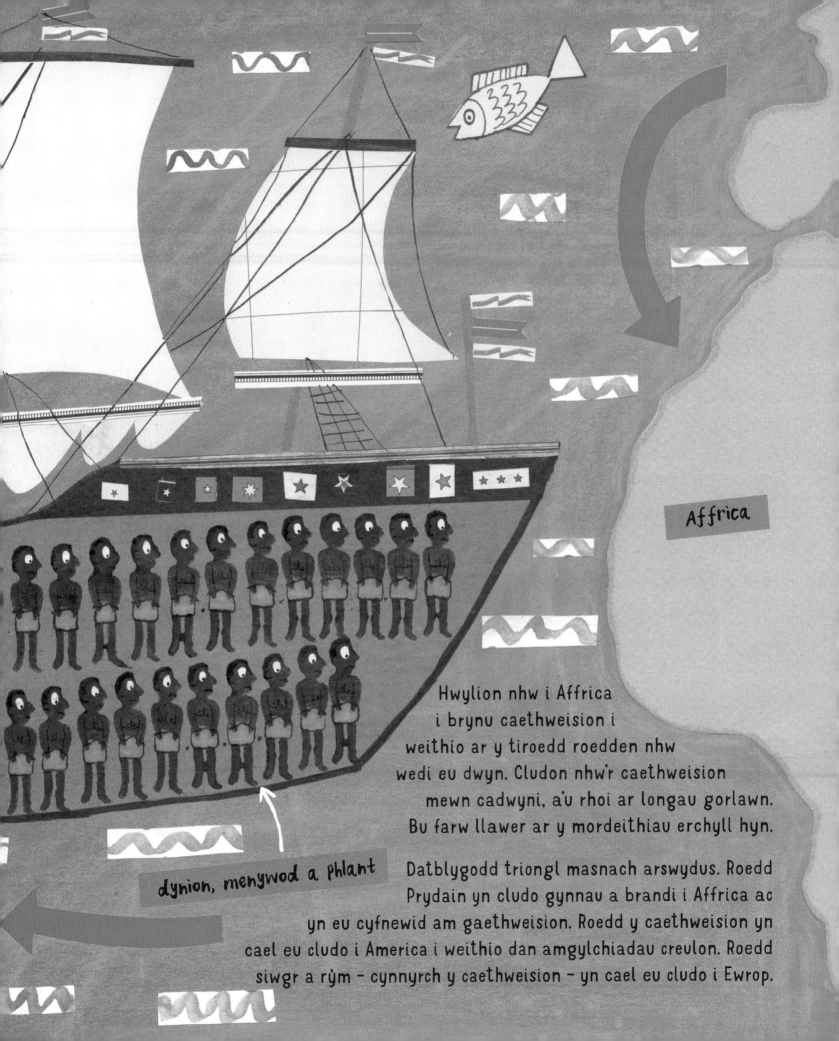

Affrica

dynion, menywod a phlant

Hwylion nhw i Affrica
i brynu caethweision i
weithio ar y tiroedd roedden nhw
wedi eu dwyn. Cludon nhw'r caethweision
mewn cadwyni, a'u rhoi ar longau gorlawn.
Bu farw llawer ar y mordeithiau erchyll hyn.

Datblygodd triongl masnach arswydus. Roedd
Prydain yn cludo gynnau a brandi i Affrica ac
yn eu cyfnewid am gaethweision. Roedd y caethweision yn
cael eu cludo i America i weithio dan amgylchiadau creulon. Roedd
siwgr a rŷm – cynnyrch y caethweision – yn cael eu cludo i Ewrop.

Dros y byd, dechreuodd
brenhinoedd, breninesau ac
ymerawdwyr wrando ar eu pobl.
Cafodd seneddau newydd eu sefydlu,
gydag arweinwyr oedd â diddordeb
mewn gwybodaeth a syniadau newydd.

gwyddonydd

Yn y Dwyrain Canol, roedd athrawon Islamaidd
yn cynnal arbrofion cyffrous ym myd cemeg,
mathemateg a seryddiaeth, gan ysbrydoli pobl
eraill dros y byd i astudio gwyddoniaeth a natur.

1700 – 1800 OC

Darganfyddodd gwyddonwyr mai smotyn bach glas mewn bydysawd enfawr yw ein byd. Deallon nhw mai grym o'r enw disgyrchiant sy'n ein tynnu i lawr i'r Ddaear, ac yn tynnu planedau o gwmpas yr haul.

Hyd yn hyn roedd popeth wedi ei wneud â llaw. Anifeiliaid neu longau hwyliau oedd yn cludo nwyddau o le i le.

Newidiodd popeth pan ddechreuodd pobl losgi glo i greu stêm. Roedd stêm yn gyrru llongau a pheiriannau. Pwffiai trenau ar draws y wlad, a chludo pobl i'r ddinas i weithio mewn ffatrïoedd.

Daeth gwledydd yn gyfoethog wrth i'r Chwyldro Diwydiannol ledaenu, ond roedd llawer o deuluoedd yn byw mewn tlodi. Pasiwyd deddf i ddod â chaethwasiaeth i ben yn Ewrop ac America, ond roedd y brwydrau am hawliau dynol yn parhau.

trên stêm

1800 – 1900 OC

Darganfyddodd gwyddonwyr fod y Ddaear yn hen iawn. Sylweddolon nhw fod pob peth byw ar y Ddaear wedi esblygu o'r un creaduriaid syml. Sioc fawr i bawb oedd deall eu bod yn perthyn i epaod.

Wrth i feddygaeth wella, dechreuodd pobl fyw'n hirach. Driliodd Americanwyr am olew, ac roedd digon o ynni rhad i bweru byd modern.

Mynnodd menywod gael yr un hawliau â dynion, ac mewn rhai gwledydd, cawson nhw'r hawl i bleidleisio.

Bant â ni!

1850 – 1972 OC

Ond bu brwydro ffyrnig mewn dau Ryfel Byd. Ar ddiwedd yr Ail Ryfel Byd gollyngwyd dau arf niwclear dinistriol ar Japan, gan ladd cannoedd o filoedd o bobl.

Ar ôl y rhyfel, deallodd gwyddonwyr mai'r cemegyn DNA mewn celloedd byw sy'n llunio bywyd. Hefyd dechreuodd pobl archwilio'r bydysawd, a chamodd gofodwyr ar y Lleuad o'r diwedd.

1950 – Heddiw

olew palmwydd

Mae llosgi tanwydd ffosiledig yn newid yr hinsawdd.
Mae'r capanau rhew yn toddi, ac mae tywydd eithafol
yn achosi newyn, tlodi a chynnen.

Rydyn ni'n ffermio bron hanner holl dir y Ddaear. Felly mae
llai a llai o le i'r anifeiliaid gwyllt a'r planhigion sy'n bwysig
i ni. Mae miliynau o rywogaethau eraill ar y Ddaear heblaw
ni - ac allwn ni ddim byw hebddyn nhw.

Mae pobl wedi creu peiriannau gydag ymennydd artiffisial, o'r enw robotiaid. O'u defnyddio'n ddoeth, gall technolegau newydd wneud ein bywydau'n well, a rhoi mwy o amser i ni wneud pethau eraill.

Heddiw

Fel pob rhywogaeth, rydyn ni'n defnyddio'n sgiliau i'n
helpu i oroesi. Yng nghrombil un o fynyddoedd yr Arctig mae
stafell sy'n llawn o focsys o hadau. Dylai'r stôr werthfawr hon
sicrhau y bydd pobl yn gallu tyfu bwyd ar y Ddaear bob amser.

Drwy rannu â'n gilydd, creu llai o lygredd, parchu llefydd gwyllt
a ffermio ochr yn ochr â bywyd gwyllt, mae gobaith i'r dyfodol.
Gallwn ni a byd natur gyd-fyw'n hapus ar ein planed las hardd.

Geirfa

Arf niwclear – arf marwol sy'n cael ei greu gan ffrwydrad enfawr. Mae'n achosi dinistr dros ardal eang ac yn gwenwyno a lladd pobl a phethau byw eraill.

CC – ffordd fer o ddweud Cyn Crist.

Concwerwr – person sy'n defnyddio grym i gipio rheolaeth dros dir, gwlad, neu bobl estron.

Chwyldro Diwydiannol – y cyfnod pan ddechreuodd peiriannau stêm wneud llawer o waith mewn ffatrïoedd, a masgynhyrchu nwyddau.

Disgynnydd – rhywun sy'n perthyn i ti ac yn byw ar dy ôl.

DNA – mae'r llythrennau'n cyfeirio at asid diocsiriboniwcleig, sylwedd y tu mewn i gelloedd byw sy'n cynnwys gwybodaeth a gaiff ei throsglwyddo i'r genhedlaeth nesaf.

Ffordd Sidan – hen lwybr masnach rhwng China a deheudir Ewrop, ar draws Asia.

Gofodwr – person sydd wedi cael ei hyfforddi i deithio i'r gofod ac astudio'r bydysawd.

Gwareiddiad – ffordd drefnus, ddatblygedig o fyw, gyda chyfreithiau ac iaith ysgrifenedig.

Hawliau dynol – hawliau sylfaenol y dylai pawb eu cael, gan gynnwys cyfiawnder a'r rhyddid i fynegi barn.

Heliwr-gasglwr – person sy'n byw drwy gasglu planhigion gwyllt a hela anifeiliaid am eu bwyd.

Lloeren – teclyn sy'n cael ei yrru i'r gofod i deithio o gwmpas planedau a chasglu a throsglwyddo gwybodaeth.

Neanderthal – math o fod dynol cyntefig oedd yn byw rhwng 400,000 a 40,000 o flynyddoedd yn ôl.

Newid yn yr hinsawdd – newidiadau yn y tywydd dros y byd. Gweithgareddau dynol, fel llosgi tanwydd ffosiledig, sydd wedi achosi hyn yn ddiweddar.

OC – ffordd fer o ddweud Oed Crist.

Pla Du – haint farwol a laddodd filiynau o bobl yn Ewrop ac Asia yng nghanol y 14eg ganrif. Roedd yn gadael marciau du ar y croen.

Robot – peiriant sy'n gallu cyflawni rhai o'r tasgau y gall person eu gwneud.

Senedd – grŵp o bobl sy'n creu cyfraith gwlad.

Seryddiaeth – astudiaeth o'r bydysawd a phopeth sy'n digwydd yn naturiol yn y gofod.

Tanwydd ffosiledig – tanwydd naturiol wedi ei wneud o blanhigion ac anifeiliaid ffosiledig, gan gynnwys glo, olew a nwy naturiol.

Ymerodraeth – grŵp o wledydd sy'n cael eu rheoli gan un person.